An Gabhar a Raibh An-Ocras Go Deo Air

scríofa ag Máire Ní Chualáin

maisithe ag Natasha Rimmington

'Pheadair!' a d'fhógair Cáit. 'Pheadair!
Tá mé ag imeacht. Gheall tú dom go
ndéanfá rud éigin dom sula bhfillfinn
tráthnóna, nár gheall?'

'An féar a ghearradh,' a dúirt Peadar go codlatach.
'An gairdín tosaigh agus an gairdín cúil,' arsa Cáit.
'Gach tráithnín féir atá ann!'

'Lá maith agat a stór!' arsa Cáit, agus í ag imeacht léi.

'Bhí sé chomh maith bualadh faoi,'
arsa Peadar agus é ag tosú ar an obair.
An chéad rud eile, bhí búireadh agus
géimneach le cloisteáil.

Sin an uair ar chuimhnigh
sé ar an AONACH!
Agus is ansin a chuimhnigh
Peadar ar phlean.

‘B'fhéidir nach mbeadh orm féar ar bith
a ghearradh inniu!' a deir sé leis féin.

'Gabhar ocrach atá uait?' arsa an feirmeoir.
'Seo an gabhar is mó a bhfaca mé ocras riamh air!'

'Anois, a ghabhair' a dúirt Peadar.
'Déan an rud atá le déanamh agat – bí ag ithe!'

'Suaimhneas sa deireadh!' a dúirt Peadar, agus é ag fáil réidh le codladh deas fada a dhéanamh dó féin. Bhí Peadar ag srannadh agus bhí an gabhar ag mungailt.

Ba ghearr go raibh an méid
féir a bhí thart air ite ag an ngabhar.

Bhí úlla dearga Cháit chomh blasta sin gur ith sé an crann chomh maith.
Ach bhí ocras i gcónaí air, an-ocras go deo…

An chéad rud eile, chonaic sé éadaí ar an líne. Bhí siad chomh BLASTA!

Is deas briosc a bhí bord
na cistine. Agus
bhí na cathaoireacha
FÍORBHLASTA!
Suas an staighre leis an
ngabhar. Mar bhí ocras
air i gcónaí, an-ocras
go deo...

Bhí an chuilt chomh deas bog sin le cogaint,
gur ith an gabhar na piliúir chomh maith.
Bhain sé blaiseadh de na cuirtíní.

Bhí an fhuinneog oscailte taobh thiar díobh.
Agus bhí ocras ar an ngabhar i gcónaí, an-ocras go deo...

Dhúisigh Peadar
go tobann.
Chonaic sé an gabhar.
Chonaic sé an teach.
Chonaic sé an gairdín.

Cáit a bhí ann. 'Pheadair, a stór!' a deir sí.
'Níl ann ach go bhfuil mé ag déanamh
cinnte gur ghearr tú an féar.'

'Cén fáth gur bhac mé riamh leis an ngabhar seo?'
arsa Peadar leis féin. 'Cén fáth nár ghearr mé
an féar mé féin?'

Bhí go leor oibre le déanamh anois ag Peadar. Agus gan mórán ama leis an obair sin a dhéanamh.

Nuair a tháinig Cáit abhaile,
bhreathnaigh sí timpeall an ghairdín.
'Pheadair!' a dúirt sí. 'Sea, a stór?'
a d'fhreagair sé go neirbhíseach.

'Thíos anseo,' arsa Cáit.
'Tá paiste beag féir nár ghearr tú!'